Chris Wormell

Blaues Kaninchen

sucht ein Zuhause

CARLSEN

Es war einmal ein blaues Kaninchen, das lebte in einer Höhle mitten im dunklen Wald.

Das blaue Kaninchen fühlte sich dort gar nicht wohl: die Höhle war viel zu groß und der Wald viel zu dunkel.
Und so machte es sich auf die Suche nach einem neuen Zuhause.

Am Waldrand stieß es auf einen Bären, der in einem Planschbecken saß.

»Guten Morgen, Bär«, sagte das blaue Kaninchen.

»Guten Morgen, Blaues Kaninchen«, erwiderte der Bär.

»Ich suche eine neue Bleibe. Weißt du ein gutes Plätzchen?«, fragte das blaue Kaninchen.

M einetwegen kannst du dies Planschbecken haben«, sagte der Bär. »Ich finde es ziemlich nass.«

Das blaue Kaninchen tauchte eine Pfote ins Planschbecken.

»Danke, Bär, aber ich seh mich lieber weiter um«, sagte es.

»Kann ich mitkommen?«, fragte der Bär und schüttelte sich die Wassertropfen aus dem Pelz.

Das blaue Kaninchen und der Bär kamen zu einer Hütte. In der Hütte wohnte eine Gans mit Namen Bello.

»Guten Morgen, Bello«, sagten das blaue Kaninchen und der Bär.

»Guten Morgen, allerseits«, erwiderte die Gans.

»Ich suche eine neue Bleibe und Bär tut das auch«, sagte das blaue Kaninchen.

»Weißt du ein gutes Plätzchen?«

Meinetwegen kannst du diese Hütte haben«, erwiderte die Gans.

»Mir ist es zu trocken und zu stickig hier und es riecht nach alten Knochen. Und den Namen Bello mag ich auch nicht.«

»Mir wäre was Trockenes schon recht«, sagte der Bär und linste in die Hütte. »Aber ich glaub, ich pass da nicht rein.«

Das blaue Kaninchen schnüffelte in die Hütte hinein.

»Danke, Gans, aber ich seh mich lieber weiter um«, sagte es.

»Kann ich mitkommen?«, fragte die Gans und watschelte hinter dem blauen Kaninchen und dem Bären her.

Nach einer Weile gelangten sie zu einem Bau in einer Böschung. Die Böschung war mit Gänseblümchen übersät und im Bau wohnte ein Hund.

»Guten Morgen, Hund«, sagten das blaue Kaninchen, der Bär und die Gans.

»Guten Morgen, allerseits«, erwiderte der Hund.

»Ich suche eine neue Bleibe und Bär und Gans tun das auch«, sagte das blaue Kaninchen.

»Weißt du ein gutes Plätzchen?«

Ich hätte auch gern eine neue Bleibe«, sagte der Hund.
»Dieser Bau ist so eng und aus Gänseblümchen mache ich mir nichts. Was ich möchte, ist eine trockene Hütte.«

Eine Hütte!«, rief das blaue Kaninchen.
»Na, so was! Gans hat eine Hütte, vielleicht kannst du die haben?«
»Aber gerne, Hund«, sagte die Gans. »Vielleicht magst du ja den Geruch von alten Knochen.«

Sie kehrten zur Hütte der Gans zurück. Dem Hund gefiel sie auf Anhieb und den Namen Bello mochte er auch.

»Aber was wird aus dir?«, fragte er die Gans. »Wo wirst du jetzt wohnen?«

»Was ich wirklich gern hätte«, sagte die Gans, »ist ein schönes, nasses Planschbecken.«

Ein Planschbecken!«, rief das blaue Kaninchen.

»Na, so was! Bär hat ein Planschbecken, das du haben könntest.«

»Aber gerne«, sagte der Bär. »Es ist so nass, wie du es dir nur wünschen kannst.«

Sie kehrten zum Planschbecken des Bären zurück. Die Gans fand es einfach herrlich und planschte ganz glücklich darin herum.

»Aber was wird aus dir, Bär, wo wirst du jetzt wohnen?«, fragte die Gans.

»Was ich wirklich gern hätte«, sagte der Bär, »ist eine gemütliche Höhle mitten im dunklen Wald.«

Eine Höhle!«, rief das blaue Kaninchen. »Ich hab eine Höhle, Bär, und sie liegt auch mitten im dunklen Wald. Die kannst du haben.«

Sie kehrten zur Höhle des blauen Kaninchens zurück. Dem Bären gefiel sie auf Anhieb und der dunkle Wald war ganz nach seinem Geschmack.

»Aber was wird aus dir, Blaues Kaninchen, wo wirst du jetzt wohnen?«, fragte der Bär.

»Was ich wirklich gern hätte«, sagte das blaue Kaninchen …

» … sind Abenteuer.«

Und es hopste auf sein Fahrrad und radelte hinaus in die Welt – den weiten Himmel über sich und die Nase im Wind.
»Ich schau mich halt noch ein bisschen um«, rief es über die Schulter zurück.

Für Mary, Jack, Daisy & Eliza

1. Auflage 2000
Alle deutschen Rechte bei Carlsen Verlag GmbH, Hamburg 2000
Aus dem Englischen von Sophie Birkenstädt
Originalcopyright © 1999 Christopher Wormell
Originalverlag: Jonathan Cape Ltd., London, 1999
Originaltitel: Blue Rabbit and Friends
ISBN 3-551-51534-4

Printed in Hong Kong